La Independencia

NUEVA HISTORIA MÍNIMA DE MÉXICO
EL COLEGIO DE MÉXICO

La Independencia

ADAPTACIÓN GRÁFICA

Texto original

Josefina Zoraida Vázquez

Guión

Francisco de la Mora
Rodrigo Santos

Ilustraciones

Jorge Aviña

 EL COLEGIO DE MÉXICO   TURNER

Edición
TURNER
Francisco de la Mora

Adaptación a guión
Francisco de la Mora
Rodrigo Santos

Ilustraciones
Jorge Aviña

Color
Richo Romero
Liz Reinoso

Coordinación editorial
Francisco de la Mora

Cuidado editorial
Ekaterina Álvarez Romero

Corrección
Enzia Verduchi

Diseño de la colección
Daniela Rocha

Formación y puesta en página
Mauricio Esquivias

Producción
TURNER

Edición original: *Nueva historia mínima de México*. Derechos reservados © El Colegio de México
Nueva historia mínima de México. La Independencia. Adaptación gráfica © TURNER / Francisco de la Mora

© del texto original: Josefina Zoraida Vázquez
© del texto adaptado: Francisco de la Mora y Rodrigo Santos
© de las ilustraciones: Jorge Aviña

ISBN: 978-84-7506-959-3

Distribuido en México por:
Editorial Océano de México, S.A. de C.V.
info@oceano.com.mx
www.oceano.com.mx

Distribuido en Latinoamérica por:
Grupo Océano
info@oceano.com
www.oceano.com

Distribuido en España por:
A. MACHADO LIBROS, S.A.
www.machadolibros.com
LES PUNXES DISTRIBUIDORA, S.L.
www.punxes.es

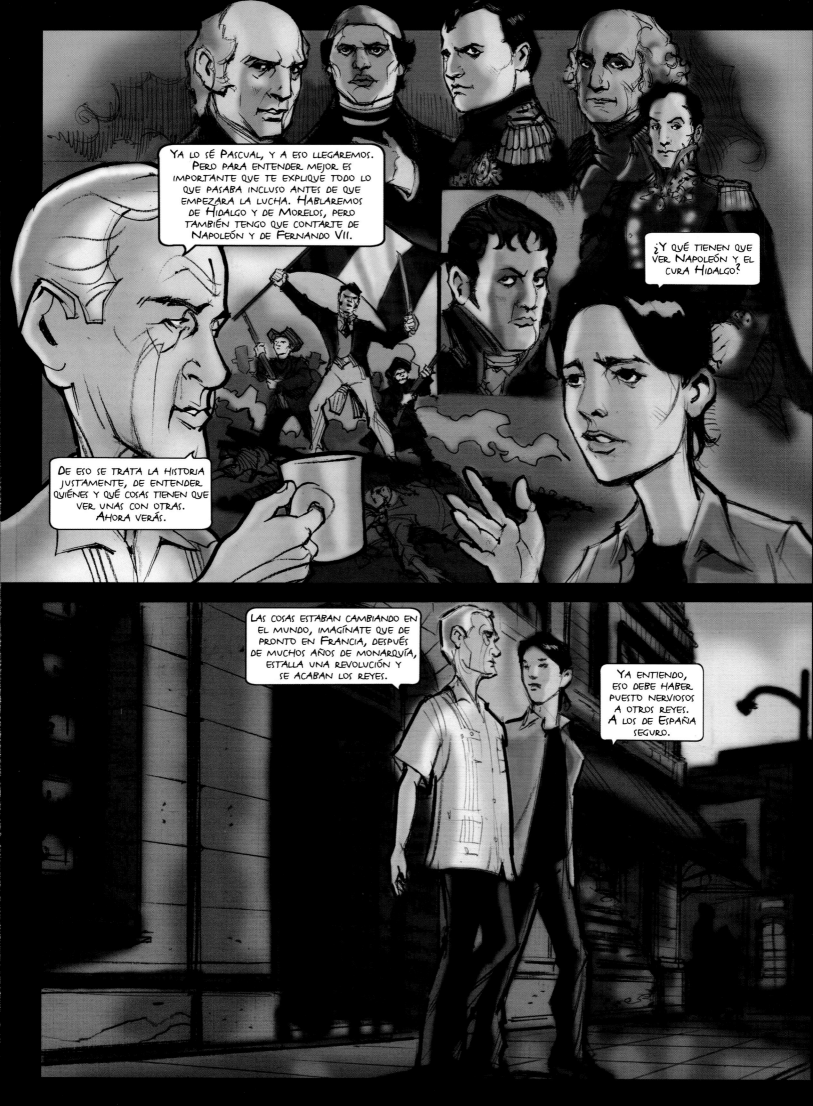

No, para evitar esa suerte, las autoridades entregaron la ciudad mientras el obispo huía y el cabildo catedralicio levantaba la excomunión a Don Miguel.

¿Entonces se quedaron con Valladolid?

Sí, y no sólo eso, a pesar del temor que había despertado la violencia, las desigualdades e injusticias extendieron la insurrección por todo el territorio novohispano El cura de Carácuaro, José María Morelos se presentó ante Miguel Hidalgo y recibió la encomienda de tomar Acapulco.

JOSÉ ANTONIO TORRES, POR SU PARTE, ASALTÓ LA CIUDAD DE GUADALAJARA, Y LA PUSO A LAS ÓRDENES DE HIDALGO, REPLICANDO LO QUE YA VENÍA SUCEDIENDO EN OTRAS PARTES DEL PAÍS.

EL MOVIMIENTO ESTABA COBRANDO MUCHA FUERZA, ¿VERDAD?

SÍ, MUCHA. HIDALGO SALIÓ DE VALLADOLID RUMBO A LA CIUDAD DE MÉXICO.

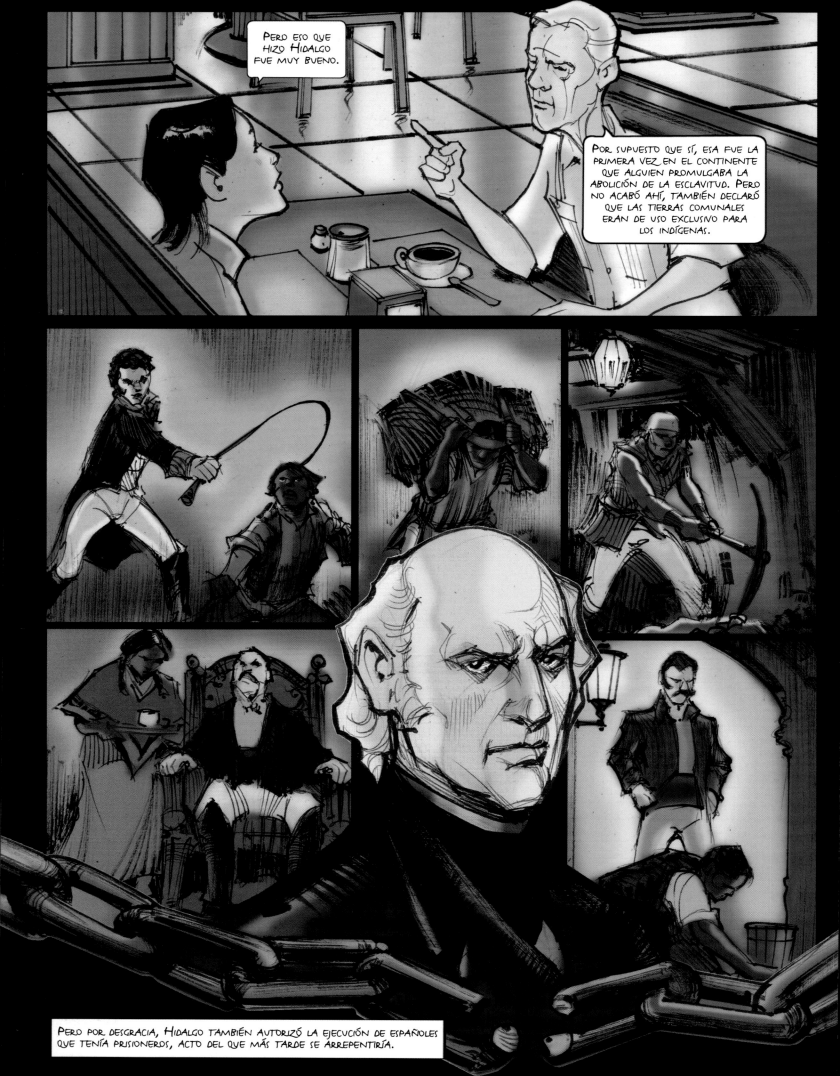

LOS HOMBRES, CANSADOS Y HAMBRIENTOS, SE RINDIERON CON FACILIDAD. PERO ALLENDE INTENTÓ RESISTIRSE Y SU HIJO FUE MUERTO POR LAS TROPAS DE ELIZONDO.

ASÍ, HIDALGO, ALDAMA, ALLENDE Y MARIANO JIMÉNEZ FUERON CAPTURADOS Y LLEVADOS A CHIHUAHUA PARA SER JUZGADOS.

Y ASÍ, EL 30 DE JULIO, HIDALGO CUMPLIRÍA SU SENTENCIA DE MUERTE AL SER FUSILADO EN CHIHUAHUA.

¿Y LOS OTROS JEFES? ¿QUÉ SERÍA DEL MOVIMIENTO SIN ELLOS?

A TODOS LOS MATARON. LAS CABEZAS DE LOS CUATRO JEFES, ALLENDE, ALDAMA, JIMÉNEZ E HIDALGO FUERON CONSERVADAS EN SAL Y ENVIADAS A GUANAJUATO...

...AHÍ, EN JAULAS, LAS COLGARON EN LAS ESQUINAS DE LA ALHÓNDIGA DE GRANADITAS, DONDE PERMANECIERON HASTA CONSUMADA LA INDEPENDENCIA QUE ELLOS, CON PROFUNDA CONVICCIÓN, VALOR Y ARREBATO, HABÍAN COMENZADO.

Y AQUÍ PASCUALITO ES DONDE HOY EN DÍA YACEN LOS RESTOS DE LOS HÉROES DE LA INDEPENDENCIA.

EN CÁDIZ, LAS CORTES, QUE CONTABAN CON REPRESENTANTES AMERICANOS, PROMULGARON UNA NUEVA CONSTITUCIÓN.

¿ENTONCES LA INDEPENDENCIA DE MÉXICO NO LA LOGRARON HIDALGO Y ALLENDE?

NI MUCHO MENOS. FUERON ELLOS QUIENES EMPEZARON Y SIN DUDA SU MOVIMIENTO HIRIÓ DE MUERTE AL VIRREINATO, PUES LOGRARON ROMPER EL ORDEN COLONIAL Y AFECTARON HONDAMENTE LA ECONOMÍA Y LA ADMINISTRACIÓN FISCAL.

LA NUEVA CONSTITUCIÓN ESTABLECÍA UNA MONARQUÍA CONSTITUCIONAL QUE GARANTIZABA LA IGUALDAD ENTRE ESPAÑOLES Y AMERICANOS, LA LIBERTAD DE IMPRENTA Y LA ABOLICIÓN DEL TRIBUTO, EL ESTABLECIMIENTO DE DIPUTACIONES PROVISIONALES Y DE AYUNTAMIENTOS CONSTITUCIONALES EN TODO PUEBLO MAYOR A 1000 HABITANTES. DESAPARECÍA LA FIGURA DEL VIRREY CONVIRTIÉNDOLO EN JEFE POLÍTICO; PERO EN REALIDAD POCO CAMBIÓ EN NUEVA ESPAÑA CON SU PROMULGACIÓN.

A LA LIBERTAD DE IMPRENTA, QUE FUE MUY BREVE, LE DEBEMOS AL QUE ESTÁ CONSIDERADO EL PRIMER ESCRITOR MEXICANO, FERNÁNDEZ DE LIZARDI.

¿POR QUÉ RESULTÓ TAN BREVE?

FUE SUSPENDIDA POR VENEGAS, YA QUE LOS AMERICANOS LA APROVECHARON PARA PUBLICAR ARTÍCULOS POLÍTICOS EN PERIÓDICOS, COMO «EL PENSADOR MEXICANO».

¿Y QUÉ PASABA CON LOS DEMÁS INSURGENTES, DÓNDE ESTABA MORELOS, QUÉ FUE DE RAYÓN?

A ESO IBA, PERO RECUERDA QUE HAY QUE ENTERARSE DEL CONTEXTO PARA PODER ENTENDER MEJOR TODO LO QUE PASÓ.

CALLEJA HABÍA LOGRADO CIERTO ÉXITO AL COMBATIR A LOS INSURGENTES, LO QUE LE VALIÓ SUCEDER A VENEGAS COMO JEFE POLÍTICO. ADEMÁS APROVECHÓ LA CONSTITUCIÓN COMO UN INSTRUMENTO CONTRARREVOLUCIONARIO...

MIENTRAS TANTO, RAYÓN INSTALÓ EN ZITÁCUARO UNA SUPREMA JUNTA GUBERNATIVA DE AMÉRICA, Y AUNQUE CALLEJA NO TARDÓ EN DESALOJARLOS, LOS INSURGENTES CONTABAN CON EL APOYO DE LA SOCIEDAD SECRETA «LOS GUADALUPES», QUE LES ENVIABA DINERO, INFORMACIÓN Y CONSEJOS. POR ENTONCES EMPEZABA A DESTACAR EL CURA MORELOS COMO EL NUEVO GRAN CAUDILLO DEL MOVIMIENTO.

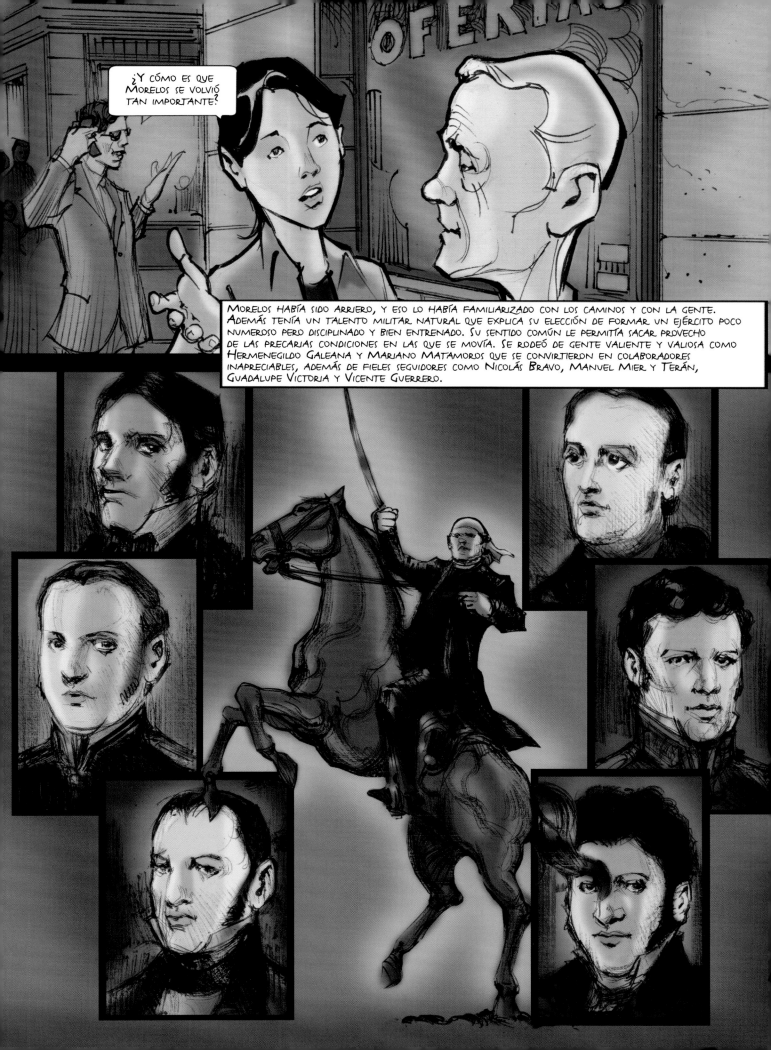

Con todos estos colaboradores, Morelos logró hacerse de la zona sur del país...

...en Cuautla, las tropas de Calleja sitiaron durante dos meses a los nuevos insurgentes.

EN 1816, JUAN RUIZ DE APODACA, UN ANTIGUO CAPITÁN GENERAL QUE VENÍA DE CUBA, FUE NOMBRADO VIRREY Y DE INMEDIATO CAMBIÓ LA ESTRATEGIA OFRECIENDO UNA AMNISTÍA A LOS INSURGENTES.

¿Y POR QUÉ UNA AMNISTÍA ABUELO?

EL GOBIERNO EN ESPAÑA OPTÓ POR UNA NUEVA POLÍTICA DE CONCILIACIÓN. AL MORIR MORELOS EL MOVIMIENTO HABÍA PERDIDO FUERZA Y PARECÍA QUE LA PAZ REINABA EN NUEVA ESPAÑA, PERO CON ESTAS MEDIDAS SE PRETENDÍA RECUPERAR EL CONTROL DE TODO EL TERRITORIO.

¿Y LOS INSURGENTES ACEPTARON EL PERDÓN?

MUCHOS DE ELLOS SÍ QUE LO HICIERON, Y DURANTE MÁS O MENOS UN AÑO, EL ORDEN PARECÍA HABERSE RESTAURADO, PERO GRACIAS A UNOS POCOS, EL MOVIMIENTO SE MANTUVO DE PIE...

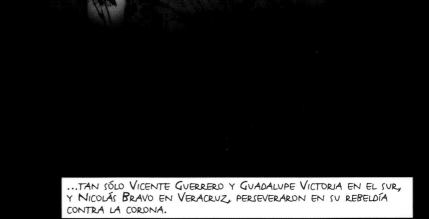

...TAN SÓLO VICENTE GUERRERO Y GUADALUPE VICTORIA EN EL SUR, Y NICOLÁS BRAVO EN VERACRUZ, PERSEVERARON EN SU REBELDÍA CONTRA LA CORONA.

¿Y NO HUBO MÁS LÍDERES QUE LOS APOYARAN?

SÍ LOS HUBO, EN 1817, TUVO LUGAR UN INTENTO LIBERADOR ENCABEZADO POR EL PADRE SERVANDO TERESA DE MIER Y EL CAPITÁN ESPAÑOL FRANCISCO XAVIER MINA, LLEGADOS DE LONDRES Y NUEVA ORLEÁNS, CON 300 MERCENARIOS. MINA SE INTRODUJO HASTA EL BAJÍO, APOYADO POR PEDRO MORENO, LOGRANDO ENCENDER LOS ÁNIMOS INDEPENDENTISTAS CON SU CAMPAÑA E IMPRESIONES SUBVERSIVAS, PERO FUE DERROTADO POR TROPAS REALISTAS Y FUSILADO EL 11 DE NOVIEMBRE DE ESE MISMO AÑO. EL PADRE MIER LOGRÓ ESCAPAR PERO UNOS AÑOS MÁS TARDE SERÍA ENCARCELADO EN SAN JUAN DE ULÚA.

¡QUÉ VALIENTES! PERO OTRA VEZ EL MOVIMIENTO ERA DERROTADO.

ESO PARECÍA, PERO PIENSA PASCUAL QUE CON TANTO ALBOROTO, EL VIEJO PRESTIGIO DE LA CORONA SE HABÍA DESGASTADO, ADEMÁS, PARA ENERO DE 1820 SE PRESENTÓ UNA COYUNTURA FAVORABLE A LA INDEPENDENCIA. EN ESPAÑA, EL COMANDANTE DE RIEGO, SE PRONUNCIABA PARA RESTAURAR LA CONSTITUCIÓN DE 1812 Y FORZÓ AL REY A JURARLA. CON ESTO, LAS LEYES CAMBIARON PARA TODO EL IMPERIO Y SE CONVOCARON ELECCIONES A CORTES.

Y ESTAS CORTES AFECTABAN DIRECTAMENTE A NUEVA ESPAÑA, ¿VERDAD?

Y DE QUÉ MANERA. PIENSA QUE HABÍAN PASADO 10 AÑOS DE GUERRA E INCLUSO LOS ESPAÑOLES RESIDENTES SE INCLINABAN YA POR LA INDEPENDENCIA.

NO NOS QUEDA OTRA SALIDA QUE BUSCAR LA INDEPENDENCIA. LA CORONA NO HA LOGRADO RECUPERAR EL ORDEN.

MIENTRAS OTROS GRUPOS DESEABAN UNA NUEVA CONSTITUCIÓN, ADECUADA A LAS NECESIDADES DE NUEVA ESPAÑA, EL NUEVO ORDEN CONSTITUCIONAL LIBERÓ A LOS INSURGENTES ENCARCELADOS Y POR TODO EL TERRITORIO EMPEZARON A CIRCULAR PUBLICACIONES SUBVERSIVAS.

¿ENTONCES EL AMBIENTE ERA PROPICIO PARA CONSUMAR LA INDEPENDENCIA?

SÍ, FUE UN MOMENTO DETERMINANTE, LOS ÁNIMOS VOLVÍAN A ALTERARSE. LAS ELECCIONES DE DIPUTADOS PARA LAS CORTES Y LOS DIPUTADOS PROVINCIALES Y CONSTITUCIONALES, PERMITIERON QUE SE FRAGUARA UN NUEVO PLAN PARA DERROCAR A LOS ESPAÑOLES.

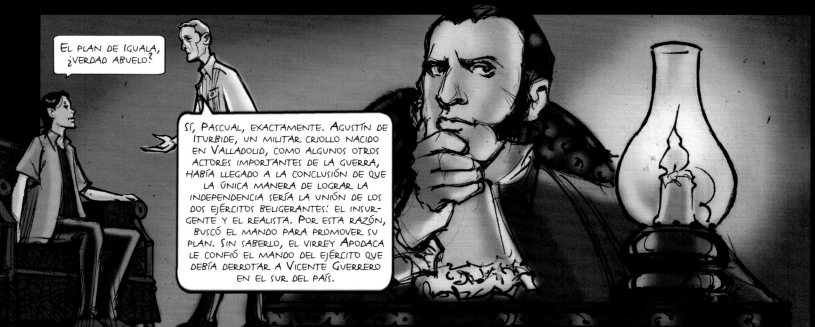

EL PLAN DE IGUALA, ¿VERDAD ABUELO?

SÍ, PASCUAL, EXACTAMENTE. AGUSTÍN DE ITURBIDE, UN MILITAR CRIOLLO NACIDO EN VALLADOLID, COMO ALGUNOS OTROS ACTORES IMPORTANTES DE LA GUERRA, HABÍA LLEGADO A LA CONCLUSIÓN DE QUE LA ÚNICA MANERA DE LOGRAR LA INDEPENDENCIA SERÍA LA UNIÓN DE LOS DOS EJÉRCITOS BELIGERANTES: EL INSURGENTE Y EL REALISTA. POR ESTA RAZÓN, BUSCÓ EL MANDO PARA PROMOVER SU PLAN. SIN SABERLO, EL VIRREY APODACA LE CONFIÓ EL MANDO DEL EJÉRCITO QUE DEBÍA DERROTAR A VICENTE GUERRERO EN EL SUR DEL PAÍS.

LE CONFIERO LA TAREA DE PERSEGUIR A GUERRERO EN EL SUR.

ITURBIDE CREYÓ QUE LE SERÍA FÁCIL DERROTAR A GUERRERO, POR LO QUE INFORMÓ DE SUS PLANES A LOS DIPUTADOS ELECTOS PARA MARCHAR A ESPAÑA A LAS CORTES. PERO COMO LA EMPRESA RESULTÓ MÁS COMPLICADA DE LO QUE CREYÓ, DECIDIÓ INVITAR A GUERRERO A UNÍRSELE.

O'DONOJÚ SE ENTREVISTÓ CON ITURBIDE Y FIRMÓ LOS TRATADOS DE CÓRDOBA, EN LOS CUALES SE RECONOCÍA LA INDEPENDENCIA Y EL ESTABLECIMIENTO DE UN NUEVO IMPERIO MEXICANO.

¿Y QUÉ PASÓ ENTONCES ABUELO?

UY, PASCUAL, SI TE CONTARA TODO LO QUE ACONTECIÓ DESPUÉS NO ACABARÍAMOS. CREO QUE POR HOY FUE SUFICIENTE. SOLAMENTE ME QUEDA DECIRTE QUE ESTE HECHO FUNDA EL NUEVO ESTADO MEXICANO. ALGO BASTANTE COMPLEJO QUE DEBO DE RELATARTE CON CALMA.

MUY BIEN, ME VOY A DORMIR, PERO MAÑANA SEGUIMOS PLATICANDO.

El 8 de junio causa consternación la noticia de la abdicación de Carlos IV a favor de su hijo Fernando VII. El 14 de agosto, de las abdicaciones en Bayona de los reyes de España Carlos IV y Fernando VII.

En agosto se presenta la *Representación del Ayuntamiento de México*, de Francisco Azcárate y Francisco Primo de Verdad, que en la ausencia del rey devuelve la soberanía al pueblo representado por el ayuntamiento. Se pide que el virrey Iturrigaray convoque una junta de representantes de Ayuntamientos para decidir cómo se gobernaría el reino.

El 15 de septiembre el hacendado Gabriel de Yermo, al mando de 300 hombres, asalta el palacio virreinal apresando al virrey José de Iturrigaray, a su familia y a los regidores del Ayuntamiento.

Imposibilitada la vía legal, se empieza a conspirar en Querétaro. Al ser descubierta tal conspiración, el 16 de septiembre, Miguel Hidalgo, Ignacio Allende y Juan Aldama deciden iniciar la rebelión en Dolores. Esa misma noche, las huestes de Hidalgo toman San Miguel el Grande, donde se les une Allende. A los pocos días ochenta mil campesinos indígenas, en Celaya, nombran a Hidalgo generalísimo y a Allende teniente general. Al llegar al santuario de Atotonilco, Hidalgo toma una imagen de la virgen de Guadalupe como bandera del ejército. El 28 de ese mismo mes, los insurgentes asaltan la alhóndiga de Granaditas, donde matan a los ocupantes y al intendente. Después saquean la ciudad.

El 20 de octubre José María Morelos y Pavón se entrevista con Hidalgo, en Charo e Indarapeo, Michoacán y recibe el encargo de tomar Acapulco. El 30 de octubre las huestes de Hidalgo están en el monte de las Cruces, cerca de la ciudad de México, donde se enfrentan y derrotan a mil criollos realistas, pero Hidalgo decide retirarse, y en Aculco, finalmente, es derrotado.

A finales de noviembre Hidalgo entra a Guadalajara, ahí organiza su gobierno, promueve la expansión del movimiento, ordena la publicación del periódico *El Despertador Americano*, decreta la abolición de la esclavitud, del tributo indígena y de los estancos; también declara que las tierras comunales eran de uso exclusivo de los indígenas.

Se promulga en Cádiz la Constitución de 1812 que otorga la igualdad a criollos e indios, pero condiciona la equidad de las castas. Les concede representación en tres niveles: Ayuntamientos constitucionales, Diputaciones provinciales y Cortes españolas.

Al regreso de Fernando VII se restablece el absolutismo y se persigue a los liberales. En Nueva España, el 22 de octubre, se promulga la Constitución de Apatzingán, inspirada en la Constitución española de 1812.

1808 | **1809** | **1810** | **1811** | **1812** | **1813** | **1814**

En diciembre es descubierta la conspiración de Valladolid, Michoacán, encabezada por Gabriel García Obeso, Mariano Michelena y fray Vicente de Santa María, quienes tienen contacto con Ignacio Allende.

El 17 de enero las tropas de Calleja y José de la Cruz derrotan a los insurgentes en puente Calderón. El 25 de enero, en la hacienda de Pabellón, Aguascalientes, Allende y Aldana despojan a Hidalgo del mando militar y, en Saltillo, a Ignacio López Rayón a cargo de la dirección de la lucha.

El 21 de marzo, en Acatita de Baján, Coahuila, Hidalgo, Aldama, Allende y Mariano Jiménez son capturados y conducidos a Chihuahua donde son juzgados y fusilados.

El 30 de junio, Hidalgo es el último fusilado. Las cabezas de los cuatro jefes fueron enviadas a Guanajuato y colocadas en las cuatro esquinas de la alhóndiga de Granaditas.

Morelos toma Chilpancingo, Tuxtla, Chilapa, Taxco, Azúcar de Matamoros y Oaxaca, donde establece su gobierno. Toma después Acapulco. Mientras tanto, dándose cuenta de que la nación necesitaba una Constitución, convoca un Congreso que se reúne en Chipancingo. En la inauguración, el 14 de septiembre, lee sus *Sentimientos a la Nación*. El Congreso firma la Declaración de Independencia y le confiere el Poder Ejecutivo a Morelos, quien adopta el título de *Siervo de la Nación*.

Con la muerte de Morelos Nueva España parece pacificada y se nombra a Juan Ruiz de Apodaca como virrey para aplicar una política de amnistía a la que se acogen muchos insurgentes.

El realista Armijo hace prisionero a Nicolás Bravo en el rancho de Dolores.

El 1° de enero se pronuncia la Constitución de 1812 en la península de Cabeza de San Juan. Al entrar en vigencia, son liberados los insurgentes presos y se restauran las elecciones y la libertad de prensa. Es evidente que después de tantos años de lucha, el reino ha cambiado y se ha unificado el deseo de Independencia. Iturbide hace un plan para consumarla de manera pacífica, aprovechando el mando para derrotar a Guerrero, a quien decide invitar a sumarse.

1815	1816	1817	1818	1819	1820	1821

l 5 de noviembre, Morelos es presado en Temalaca. Después e ser juzgado y condenado, e le degrada y es fusilado el 2 de diciembre en San ristóbal Ecatepec.

Don Servando Teresa de Mier convence al liberal español Fracisco Xavier Mina a luchar contra la tiranía de Fernando VII en Nueva España. Se embarcan en Inglaterra rumbo a Estados Unidos donde contratan mercenarios y desembarcan en Soto la Marina el 15 de abril, introduciéndose hacia el Bajío. El insurgente Pedro Moreno se le une. Después de una serie de victorias sobre los realistas, son apresados y fusilados en la hacienda del Venadito el 27 de octubre. Mina tenía 29 años.

Nueva España parecía pacificada, pues sólo quedaba el contingente de Vicente Guerrero que mantenía la lucha en la sierra del sur.

El 24 de febrero, Iturbide proclama el Plan de Iguala estableciendo las tres garantías: religión, unión e independencia. Con sus tropas y las de Guerrero, organiza al Ejército Trigarante. Las adhesiones de oficiales del ejército, ayuntamientos y diputaciones se multiplican tanto que cuando llega el último jefe y capitán general, Juan O'Donojú, se da cuenta de que la voluntad es por la Independencia, por lo que firma los Tratados de Córdoba donde se reconoce la Independencia del imperio mexicano. Una vez organizados los realistas que ocupaban la ciudad de México, hace su entrada triunfal el Ejército Trigarante el 27 de septiembre y al día siguiente se firma el Acta de Independencia de México.

BIOGRAFÍAS

MANUEL ABAD Y QUEIPO

Nació en Asturias, España, en 1751. Viajó a Nueva España y residió en Valladolid (hoy Morelia, Michoacán) donde fue designado canónigo penitenciario de la catedral hasta 1815. En una carta dirigida a Carlos IV, propuso la abolición de los tributos, la distribución de las tierras realengas gratuita entre indios y castas, una ley agraria que otorgara al pueblo una equivalencia de propiedad en las tierras incultas de los grandes propietarios en que no se pagara pensión alguna, y la libertad irrestricta para establecer fábricas de algodón y lana. Fue electo obispo de Valladolid, pero no llegó a ejercer debido al movimiento insurgente. Se opuso al movimiento de Independencia enérgicamente, defendiendo siempre la soberanía española. Publicó la excomunión de Hidalgo, Allende, Aldama y Abasolo. Fue procesado por la Inquisición, acusado de ser amigo de los insurgentes. Murió en Toledo, España, en 1825.

JUAN ALDAMA

Nació en San Miguel el Grande (hoy San Miguel de Allende, Guanajuato), en 1774. Participó en la conspiración de Valladolid en 1809 y asistió a las juntas con el corregidor Domínguez y su esposa. Fue parte del levantamiento de Hidalgo y participó en diversas batallas al inicio de la lucha de Independencia. Fue fusilado el 26 de junio de 1811 en Chihuahua, Chihuahua.

JOSÉ IGNACIO MARÍA DE ALLENDE Y UNZAGA

Nació en San Miguel el Grande (hoy San Miguel de Allende, Guanajuato), en 1769. Participó en la conspiración de Valladolid (hoy Morelia, Michocán), en 1809, y al ser descubierta la trasladó a Querétaro. José Ignacio María de Allende fue el encargado de formar una junta para la Independencia en San Miguel que llegó a tener numerosos miembros. Una vez hecho el levantamiento, organizó las tropas de las ciudades y pueblos de alrededor para la batalla. Fue fusilado el 26 de junio de 1811 en Chihuahua, Chihuahua.

NICOLÁS BRAVO RUEDA

Nació en Chilpancingo, en 1786. Simpatizó con el movimiento insurgente desde sus comienzos, su familia participó en los primeros levantamientos, por lo que se incorporó a las tropas de su padre desde muy corta edad. Ascendió a mariscal peleando con Morelos. Se adhirió al Plan de Iguala e Iturbide le otorgó el grado de coronel del Ejército. Fue nombrado consejero de Estado y miembro de la segunda Regencia del 11 de abril al 18 de mayo de 1822. Se adhirió al Plan de Casa Mata en febrero de 1823. Formó parte del triunvirato junto con Guadalupe Victoria y Pedro Celestino Negrete, quien se encargó del Poder Ejecutivo al abdicar Iturbide. Se pronunció en 1827 por el Plan de Montaño y vencido fue exiliado. Volvió en 1830 y ocupó la presidencia de México en tres ocasiones: del 11 al 17 de julio de 1839, como sustituto; del 26 de octubre de 1842 al 14 de mayo del año siguiente con la misma designación; y como presidente interino del 28 de julio al 6 de agosto de 1846. Estuvo en la batalla de Chapultepec en septiembre de 1847 y su actuación fue muy criticada. Murió en Guerrero el 22 de abril de 1854.

FÉLIX MARÍA DE CALLEJA

Nació en Medina de Campo, España, en 1755. Llegó a Nueva España en 1789. Organizó el ejército que combatió a los insurgentes y logró vencer a Hidalgo. Se hizo odioso por su brutalidad, por su falta de escrúpulos y por tolerar los abusos de sus comandantes. Murió en Valencia, España, en 1828, cuando Fernando VII le había encomendado formar parte de los ejércitos que debían sofocar el movimiento emancipador de Sudamérica.

JOSÉ DE LA CRUZ

Nació en Arapiles, España, en 1786. Llegó a Nueva España en 1810 con el virrey Venegas. Al propagarse la insurgencia, salió en apoyo de Calleja. Fue nombrado presidente de la Audiencia de Guadalajara y gobernador de la Nueva Galicia, cargos que desempeñó durante diez años. Contribuyó con la campaña de Iturbide en 1823. Vuelto a España fue ministro de Guerra hasta 1824. Partidario del absolutismo sufrió prisión y destierro, pero volvió a desempeñar la cartera de Guerra en 1833. Fue suplente del Consejo de Regencia por disposición testamentaria de Fernando VII. Murió en París, Francia, en 1856.

MIGUEL DOMÍNGUEZ

Nació en la ciudad de México en 1756. Inició sus estudios en Valladolid en el Colegio de San Nicolás y prosiguió sus estudios de derecho en San Ildefonso. El virrey Marquina lo nombró corregidor de Querétaro en 1802, donde hizo una labor encomiable reprimiendo los abusos de los dueños de obrajes. Gracias a Miguel Domínguez mejoró el ramo de la policía y las condiciones de la ciudad. Se opuso a la consolidación de Vales Reales, por lo que lo suspendió el virrey Iturrigaray, sin embargo, posteriormente fue restablecido en su puesto por la Corte. Favoreció la idea del Ayuntamiento de México en 1808 al convocar una Junta General de Gobierno para decidir como gobernar Nueva España en ausencia de un rey legítimo. En su casa tuvo lugar la conspiración que terminó en la rebelión de Independencia. Permaneció en su puesto hasta 1813, año en que doña Josefa Ortíz de Domínguez fue detenida y se trasladó a México para emprender su defensa. En 1823 formó parte del Supremo Poder Ejecutivo. En 1824 fue designado magistrado y presidente de la Suprema Corte de Justicia, cargo que mantuvo hasta su deceso. Murió en la ciudad de México en 1830.

HERMENEGILDO GALEANA

Nació en Tecpan, Guerrero, en 1762. Se incorporó a las huestes de Morelos en 1810. Peleó varias batallas y dirigió parte de las fuerzas insurgentes hasta que fue muerto por el soldado virreinal Joaquín de León en 1814, cerca de Coyuca.

VICENTE GUERRERO

Nació en Tixtla, Guerrero, el 10 de agosto de 1782; murió en Cuilapan, Oaxaca. El 14 de febrero de 1831. De familia pobre tuvo poca educación y se dedicó a las labores del campo y a la arriería. Se inició en la insurgencia al lado de Galeana en 1810 y participó en muchas batallas al lado de Morelos. Después de la muerte de Morelos, muchos insurgentes se indultaron, pero él se negó aunque le enviaron a su padre a pedírselo y se mantuvo en la lucha hasta 1821, cuando Iturbide lo convenció a unirse para lograr la consumación del movimiento. Iturbide lo ascendió a general de División y consolidada la Independencia le confío la capitanía militar del sur y le concedió la Gran Cruz de la Orden de Guadalupe. Se adhirió al Plan de Casa Mata y con la abdicación de Iturbide fue elegido como suplente del triunvirato encargado del Poder Ejecutivo de marzo a octubre de 1824. Eligió unirse a la Logia Yorkina y en 1827 venció a Nicolás Bravo que se había pronunciado por el Plan de Montaño. En 1828 fue candidato a presidente de la República, pero perdió por varios votos, mediante la violencia ocupó la presidencia y gobernó en 1829 enfrentando total falta de recursos y el intento de reconquista de Isidro Barradas. Fue desplazado de la presidencia por el Plan de Jalapa que elevó al ejecutivo a Anastasio Bustamante. Aunque se marchó a su rancho en el sur, después decidió levantarse en armas y fue traicionado por el capitán genovés Picaluga que lo entregó a sus enemigos en Huatulco, tras un juicio sumario ordenado por Nicolás Bravo, fue fusilado en Cuilapan en 1831.

MIGUEL HIDALGO Y COSTILLA

Nació el 8 de mayo de 1753 en una hacienda de Corralejo, en Guanajuato, que su padre administraba. Estudió filosofía y teología en el Colegio de San Nicolás en Valladolid y recibió el grado de bachiller en teología en la ciudad de México en 1773. Rector del Colegio de San Nicolás, pasó después a servir a varios Curatos, el último de los cuales sería el de Dolores. Aprendió francés y era afecto al teatro y en general a las letras. Fomentó entre sus feligreses mejoras agrícolas, plantando moreras para fomentar la cría de gusanos de seda. También introdujo pequeñas industrias. Sus intereses culturales lo llevaron a una gran amistad con el intendente Riaño y con Abad y Queipo. Cuando Allende trasladó la conspiración de Valladolid a Querétaro, Hidalgo fue invitado. Al ser descubiertos los conspiradores, la corregidora pudo avisarles y Aldama y Allende se dirigieron a Dolores a consultar al cura, quien decidió adelantar la rebelión ese día 16 de septiembre, liberando a los presos e invitando a los feligreses a unirse. Esa noche tomó San Miguel el Grande y con aquella muchedumbre partió hacia Atotonilco donde mostró una imagen de la virgen de Guadalupe que serviría de bandera. En Celaya, Hidalgo fue nombrado generalísimo y Allende capitán general. Se dirigió a Guanajuato donde dio un ultimátum a Riaño de rendirse; como este se negó tomó la alhóndiga y pasó a degüello a los que se habían refugiado, saqueando toda la ciudad. Después se dirigió a Valladolid que abandonada por sus autoridades, se rindió a Hidalgo y posteriormente emprendió la marcha a la ciudad de México. En monte de las Cruces, el 30 de octubre, obtuvo su más grande victoria. La ciudad se aterró pero Hidalgo decidió no avanzar y se replegó rumbo a Valladolid, pero en Aculco sufrió una gran derrota el 7 de noviembre. Fue excomulgado junto a Aldama. Allende, que no estaba de acuerdo en la vía violenta de la Independencia, se separó. Hidalgo se dirigió a Guadalajara, donde estableció su gobierno y adoptó el título de Alteza Serenísima. Nombró a Pascacio Ortiz de Letona para que marchara a Estados Unidos a conseguir ayuda y ordenó la publicación del periódico *El Despertador Americano*. Emitió sus decretos de abolición de la esclavitud y del tributo. Poco después llegó Allende a Guadalajara y empezó a organizar las tropas, pues Calleja venía hacia la ciudad para atacarlos. Una multitud de cien mil hombres se enfrentó a 500 realistas, bien entrenados y disciplinados que los vencieron, retirándose

rumbo al norte. En la hacienda de Pabellón, Aldama, Allende y Arias le arrebataron el poder, de manera que el cura marchó prácticamente como prisionero. En su camino al norte, traicionados en Acatita de Baján el 21 de marzo de 1811, fueron tomados prisioneros y conducidos a Chihuahua para ser juzgados. El proceso de Hidalgo se alargó por su carácter religioso. La degradación tuvo lugar el 27 de julio y el 30 fue pasado por las armas.

AGUSTÍN DE ITURBIDE

Nació en Valladolid (hoy Morelia, Michoacán), en 1783; Entró a las milicias provinciales en las que servía al rebelarse el cura Hidalgo en 1810. Como estaba emparentado, Hidalgo le ofreció el grado de general, lo que rechazó por no estar de acuerdo con la vía violenta. Combatió con fortuna a los insurgentes entre 1810 y 1815, sin tener una sola derrota. Dedicado a su hacienda, tuvo oportunidad de entrar en contacto con todos los grupos sociales, lo que le permitió darse cuenta de que después de tantos años de lucha, todos apoyaban la separación de la metrópoli. Inspirado en el pronunciamiento de Rafael Riego en 1820, por la Constitución de 1812, empezó a reflexionar en la forma de lograr la consumación. Iturbide aprovechó que le dieran mando para combatir a Vicente Guerrero ese año y como no era fácil vencerlo en las montañas de sur, lo invitó a sumarse a su movimiento. Finalmente Guerrero aceptó. El 24 de febrero de 1821 se pronunció con el Plan de Iguala y organizó el Ejército de las Tres Garantías: religión, unión e independencia. Envió el plan a todas las autoridades civiles y militares y pronto logró una avalancha de adhesiones, tanto que, al llegar a Veracruz el último jefe político de Nueva España, se convenció de que la voluntad de la nación era la Independencia y firmó con Iturbide los Tratados de Córdoba que reconocían la Independencia del imperio mexicano que ofrecería la corona a la dinastía reinante. Después de que O'Donojú logró la capitulación de las tropas que ocupaban la ciudad de México, el 27 de septiembre pudo entrar en ella triunfante el Ejército de las Tres Garantías. El 28 se firmó la Declaración de Independencia. La Junta Nacional Gubernativa que se había formado, eligió una Regencia presidida por

Iturbide, quien convocó elecciones para un Congreso Constituyente que inauguró sus sesiones el 24 de febrero de 1822, cuando se recibió la noticia de que el rey y el Congreso desconocían los Tratados firmados por O'Donojú. Presionado por un motín popular, el Congreso eligió a Iturbide emperador por una gran mayoría. Pero algunos diputados empezaron a conspirar, lo que hizo que fueran apresados. Esto provocó los primeros pronunciamientos, lo que condujo a la disolución del Congreso. La masonería aprovechó la situación para liquidar al imperio. El 2 de febrero los principales generales suscribieron el Plan de Casa Mata en Veracruz, que exigía la elección de un nuevo Congreso. Iturbide decidió reunir al Congreso disuelto y no tardó en darse cuenta de que la alianza que había logrado la Independencia se había roto, en marzo envió su abdicación y poco después se embarcó hacia Europa con su familia. En 1824, el Congreso Constituyente lo declaró traidor si volvía a México. Desconocedor de este decreto y ante el rumor de que la Santa Alianza apoyaría la reconquista de México, desembarco en Soto la Marina y la legislatura de Tamaulipas decidió que fuera fusilado en julio en Padilla, Tamaulipas.

JOSÉ DE ITURRIGARAY Y ARÓSTEGUI

Nació en Cádiz, España, en 1742. Fue el 56° virrey de Nueva España y gobernó de 1803 a 1808. Fomentó la industria minera y la construcción del puente sobre el río de La Laja. Incrementó los impuestos al aplicar la Cédula de la Caja de Consolidación para solventar la guerra entre España e Inglaterra. En 1808, apoyó al Ayuntamiento de México para convocar una junta de representantes que tuvieran la facultad de decidir cómo se gobernaría en ausencia del rey, pero los españoles lo aprendieron junto a los regidores. El 15 de septiembre de 1808 fue trasladado a España donde fue sujeto a juicio. Murió en 1815 en Madrid.

JOSÉ MARIANO JIMÉNEZ

Nació en San Luis Potosí, en 1781. Ingresó en la Escuela de Minería en 1796. Consumada la toma de la alhóndiga de Granaditas en 1810, se presentó ante Hidalgo, quien le dio el grado

de coronel. Participó en numerosas batallas, hasta el día 26 de mayo de 1811 que fue aprehendido en la ciudad de Chihuahua donde muere ejecutado.

FRACISCO JAVIER LIZANA Y BEAUMONT

Nació en Logroño, España, en 1750. En 1802 recibió el nombramiento de arzobispo de México. Su actuación eclesiástica se caracterizó por las obras de asistencia social en el Hospital de San Lázaro, el Hospicio de Pobres y la Casa de Niños Expósito, entre otros. La Junta de Aranjuez lo nombró 58° virrey de Nueva España, cargo que desempeñó de 1809 a 1810. Murió en la ciudad de México en 1811.

IGNACIO LÓPEZ RAYÓN

Nació en Tlalpujahua, Michoacán, en 1773. Estudió en los colegios de San Nicolás y San Ildefonso, donde se tituló de abogado. Fue secretario privado de Miguel Hidalgo y secretario en Guadalajara, cargo en el que luchó por la formación de un gobierno. Publicó los decretos que suprimían la esclavitud y los tributos y promovió la publicación de *El Despertador Americano*. Después de la derrota de puente de Calderón, marchó con Hidalgo y Allende al norte, y en Saltillo recibió el cargo de jefe del ejército. Mantuvo la lucha y en Zitácuaro fundó la Junta Suprema Gubernativa, pero fue derrotado por Calleja. Formó parte del congreso instalado por José María Morelos en Chilpancingo. Consumada la Independencia, sirvió como tesorero en San Luis Potosí, comandante general de Jalisco y presidente del Tribunal Militar. Murió en la ciudad de México en 1832.

MARIANO MATAMOROS Y ORIVE

Nació en la ciudad de México en 1770. Estudió en el Colegio de Santiago Tlatelolco y se ordenó sacerdote en 1796. Fue cura de varias parroquias en la ciudad de México y en los estados de alrededor. Simpatizó con las ideas de la Independencia y se le presentó a Morelos en 1811 convirtiéndose en uno de sus principales jefes. Obtuvo los grados de coronel, mariscal de campo y teniente general. Fue fusilado el 3 de febrero en Valladolid (hoy Morelia, Michoacán), en 1814.

JOSÉ SERVANDO TERESA DE MIER NORIEGA Y GUERRA

Nació en Monterrey en 1765. Entró en la Orden de Santo Domingo y en 1794 fue desterrado a España por haber puesto en duda las apariciones de la virgen de Guadalupe. Estuvo en varios conventos en Europa y en 1816, regresó a Nueva España en una expedición libertadora con Francisco Xavier Mina. Fue hecho prisionero y escapó a Filadelfia, E.U.A., a esperar la consumación de la Independencia. Regresó al país en 1822, tras haber sido elegido como diputado del Congreso. Pronunció el *Discurso a las profecías*, abogando por la república centralista. En 1824 fue uno de los firmantes del Acta Constitutiva de la Federación y de la Constitución Federal de los Estados Unidos Mexicanos. Escribió numerosos discursos, sermones y cartas de carácter religioso y político. Entre sus obras sobresalen: *Cartas de un americano a un español* (1811-1813) e *Historia de la revolución de Nueva España*, entre otras. Murió en la ciudad de México en 1827.

MANUEL MIER Y TERÁN

Nació en la ciudad de México en 1789. En 1808 ingresó a San Ildefonso y más tarde al Colegio de Minería. En 1811 se unió a la insurgencia con las fuerzas de Ignacio López Rayón. A la muerte de José María Morelos disolvió el Congreso que estaba dividido y siguió en la lucha hasta que fue derrotado en 1817. En 1821 volvió al servicio al adherirse al Plan de Iguala. Fue enviado a Chiapas para intentar que se uniera a la nación. La simpatía que despertó hizo que la entidad lo eligiera como diputado al Congreso Constituyente. En 1824 fue nombrado ministro de Guerra, tres años después, en 1827, Guadalupe Victoria decidió que dirigiera la Comisión de límites entre México y Estados Unidos para después volverse Comandante de Provincias Internas de Oriente, cargo en el que se empeñó en la población y mexicanización de Texas, para evitar su separación. En 1832 Manuel Mier y Terán fue el candidato favorito de los federalistas, pero deprimido por el levantamiento de Antonio López de Santa Anna y la posible separación de Texas, se suicidó en Padilla, Tamaulipas ante la tumba de Iturbide el 3 de julio del mismo año.

FRANCISCO JAVIER MINA

Nació en Navarra en 1789. Estudió en el Seminario de Pamplona y se alistó en el Ejército del Centro para combatir a los invasores franceses. Ardiente liberal, tuvo que exiliarse en Londres en 1814 a la vuelta de Fernando VII. En esa ciudad entabló amistad con el padre Servando de Mier, quien lo convenció de luchar en Nueva España por la libertad. En abril de 1817 desembarcó en Soto la Marina con mercenarios norteamericanos y emprendió su marcha hacia el Bajío con el apoyo del insurgente Pedro Moreno. Fue aprehendido y fusilado el 11 de noviembre de 1817.

JOSÉ MARÍA MORELOS Y PAVÓN

Nació en Valladolid (hoy Morelia), el 30 de septiembre de 1765. En 1790 ingresó al Colegio de San Nicolás al tiempo que era rector Miguel Hidalgo y Costilla. Después de sus estudios en el Seminario, hizo examen de bachillerato en la Real y Pontificia Universidad de México en 1795. Al año siguiente fue ordenado diácono y en 1798, presbítero y nombrado cura interino. Sirvió en la parroquia de San Agustín Carácuaro y Necupétaro. En 1803 nació su hijo Juan N. Almonte y después otros dos hijos. En octubre de 1810 se entrevistó con Hidalgo y recibió el encargo de tomar Acapulco. Decidió reunir pocos hombres, pero elegidos como útiles para las armas entre los que destacan nombres como los Galeana, Juan Álvarez, Mariano Matamoros, los Bravo, Vicente Guerrero y Manuel Mier y Terán. Esto le permitió hacer una campaña exitosa. Se ocupó de arreglar las desavenencias surgidas entre los miembros de la Junta Nacional Americana. En noviembre de 1812 logró apoderarse de Oaxaca, celebrar la jura de la Suprema Junta y dictar disposiciones para organizar el gobierno sobre el territorio insurgente. Después de una nueva campaña para tomar Acapulco que logró en abril de 1813, en junio convocó la reunión de un Congreso insurgente. Éste inauguró sus sesiones el 14 de septiembre en Chilpancingo, con la lectura de sus *Sentimientos de la Nación*. El Congreso le confirió facultades de ejecutivo, pero él eligió el título de *Siervo de la Nación*. El 6 de noviembre se firmó el Acta de Independencia. Después de una menos venturosa campaña, llegó a Apatzingán donde se pro-

mulgó el Decreto Constitucional para la libertad de la América Mexicana el 25 de octubre. Con el padre Cos y Liceaga fue electo para formar el Supremo Gobierno, lo que limitó sus tareas militares y las derrotas se sucedieron. Encargado de la custodia del Congreso, fue tomado prisionero y trasladado a la ciudad de México. Juzgado y degradado, fue fusilado en San Cristóbal Ecatepec el 22 de diciembre de 1815.

JUAN O'DONOJÚ

Nació en 1762 en Sevilla, España. Militar de carrera y de ascendencia irlandesa, sirvió a la causa liberal y fue encarcelado en 1814 a la vuelta de Fernando VII. Restituida la Constitución de 1821 los diputados novohispanos promovieron que fuera enviado como jefe político y capitán general a Nueva España. Con ese cargo fue el 63° y último gobernante español del virreinato. A su llegada a Veracruz en junio de 1821, no tardó en darse cuenta que la voluntad del reino favorecía la Independencia y trató de entablar una entrevista con Iturbide, el encuentro tuvo lugar en Córdoba, donde el 27 de agosto se firmaron los Tratados, pero "desatando sin romper" los vínculos con la metrópoli logró que quedaran unidas España y Nueva España, ofreciendo el trono del imperio mexicano a un miembro de la casa real. Partió a México para hacer que el virrey ilegal, Francisco Novella le entregara la ciudad de México el 26 de septiembre. De esa manera, un día después, el 27 de septiembre de 1821, pudo hacer su entrada el Ejército Trigarante comandado por Agustín de Iturbide. O'Donojú tomó parte de la Junta que firmó la Declaración de Independencia que lo nombró miembro de la Regencia. Murió durante el mismo año, poco tiempo después.

MARÍA DE LA NATIVIDAD JOSEFA ORTÍZ DE DOMÍNGUEZ

Nació en Valladolid (hoy Morelia) el 5 de diciembre de 1768 y fue educada en el Colegio de las Vizcaínas de donde salió para contraer matrimonio con el licenciado Miguel Domínguez, corregidor de Querétaro el 24 de enero de 1793. Trasladada la conspiración que había nacido de Valladolid a Querétaro, empezó a simpatizar con esa causa y a informar de todo

lo que pudiera favorecerla y logró que su marido participara. Los conspiradores se reunían en su casa, con el pretexto de acudir a las tertulias literarias, sin que dejaran de ser sospechosos para las autoridades que ordenaron al corregidor de proceder a los cateos y detenciones. Temerosos de la imprudencia de su esposa, la encerró, pero ésta se arregló para avisar a Ignacio Allende que habían sido descubiertos, lo que llevó a adelantar la insurrección proyectada para la feria de San Juan de los Lagos que reunía a gente de todo el reino. Fue denunciada como cómplice y encerrada tres años en el Convento de Santa Catarina de Siena. Después de la consumación, doña Josefa fue elegida como dama de honor de la emperatriz, pero rechazó tanto el nombramiento, como cualquier forma de recompensa. Murió en 1829 en la ciudad de México.

JUAN ANTONIO RIAÑO Y BÁRCENA

Nació en Santander en 1757 y eligió la carrera de marina. Como capitán de Fragata participó en la expedición del conde de Gálvez a la Florida y a la toma de Panzacola en 1781. Perteneciente al grupo de funcionarios ilustrados que rodeaban a José de Gálvez, fue nombrado intendente de Guanajuato, donde hizo obras importantes para la provincia, entre ellas la construcción de la alhóndiga de Granaditas en Guanajuato y un puente en Celaya. Promovió diversas empresas, sobre todo la minería. Hizo amistad con Hidalgo y con Manuel Abad y Queipo. Iniciada la rebelión de Hidalgo, decidió encerrarse en la alhóndiga de Granaditas con los ricos de la ciudad. El generalísimo Hidalgo le pidió que se rindiera, pero en espera de la llegada de Calleja, se negó. El populacho logró asaltar la fortaleza y pasó a degüello a todos los asilados y la ciudad fue saqueada. Murió en Guanajuato en 1810.

JOSÉ ANTONIO TORRES

Nació a mediados del siglo XVI en San Pedro Piedra Gorda, Guanajuato. Al mes de haber estallado el levantamiento de Hidalgo, se presentó ante el cura para luchar junto a él, de quien recibió los cargos de coronel y más tarde, de mariscal. Participó en varias batallas, hasta que fue derrotado y condenado a la horca el 23 de mayo de 1812 en Guadalajara.

Francisco Xavier Venegas y Saavedra

Nació en Córdoba, España, en 1760. Fue gobernador de Cádiz. Designado virrey de Nueva España, llegó a la ciudad de México el 14 de septiembre de 1810. Suspendió la vigencia de algunas cláusulas de la Constitución de 1812, como la libertad de prensa y suspendió las elecciones. Creó tribunales especiales de policía; fundó una junta militar en cada capital de provincia y resistió los primeros ataques de la insurgencia. Fue relevado de su puesto el 16 de septiembre de 1812. Murió en Galicia, España, en 1838.

Francisco Primo de Verdad y Ramos

Nació en una hacienda de Aguascalientes en 1760. Se recibió de abogado en el Colegio de San Ildefonso. En 1808 era síndico del Ayuntamiento de la ciudad de México y uno de los miembros más prominentes del partido de los criollos, junto con Azcarate presentaron el proyecto de cómo convocar una junta de representantes de los Ayuntamientos para decidir cómo se gobernaría Nueva España en ausencia del rey legítimo. La noche del 15 de septiembre, los españoles peninsulares, temerosos de que eso condujera a la Independencia, aprehendieron al virrey y encarcelaron a los munícipes y demás personas comprometidas. Murió el 4 de octubre de 1808 en la cárcel.

Guadalupe Victoria (Manuel Félix Fernández)

Nació en Tamazula, Durango, en 1786. Abandonó el Colegio de San Ildefonso para incorporarse a las fuerzas insurgentes. Participó en varias batallas al lado de Morelos y en 1821 se presentó ante Iturbide. Propuso modificar el Plan de Iguala, pero fue relegado por este motivo y nunca manifestó adhesión al imperio. Junto con Nicolás Bravo y Pedro Celestino Negrete formó parte del triunvirato que se encargó del Poder Ejecutivo a la caída de Iturbide que duró del 31 de marzo de 1823 al 10 de octubre de 1824. Celebradas las elecciones ese año, fue declarado presidente de la República, el primero en la historia de México. Murió en Perote, Veracruz, en 1843.

Gabriel de Yermo

Nació en Sodupe, España, en 1757. Pasó a México y contrajo nupcias con la heredera de las haciendas de Temixco y San Gabriel, Morelos. Llegó a controlar el abasto de carne a la ciudad de México. En 1808 los españoles peninsulares le confiaron la dirección del movimiento que depuso al virrey, comprometido con los planes de Independencia que alentaba el Ayuntamiento. Murió en la ciudad de México en 1813.

Estas biografías se redactaron con la asesoría de Josefina Zoraida Vázquez.

Este libro se terminó de imprimir en el mes de agosto de 2010, año en el que México celebra el bicentenario de su Independencia.